Für Lillebrori –
zur Erinnerung an unsere „Expeditionen",
zwei Baumbuden und ein besonders großes Iglu!
A. L.

Dieses Buch gehört:

_____

Sei lieb zu diesem Buch!

Mehr vom reiselustigen Kuschelhasen liest du in:

ISBN 978-3-8157-1100-2

ISBN 978-3-8157-1200-9

ISBN 978-3-8157-1500-0

ISBN 978-3-8157-1700-4

ISBN 978-3-8157-2400-2

ISBN 978-3-8157-3600-5

ISBN 978-3-8157-1600-7

ISBN 978-3-8157-1900-8

ISBN 978-3-8157-3479-7

ISBN 978-3-8157-8108-1

ISBN 978-3-8157-9255-1

FSC
www.fsc.org
MIX
Paper from
responsible sources
FSC® C010256

25 24 23 22   12 11
ISBN 978-3-8157-1400-3

© 1996 Coppenrath Verlag GmbH & Co. KG, Münster
Überarbeitete Neuauflage 2010
Alle Rechte vorbehalten
Für die Beschaffung der NASA-Aufnahme
von der Erde im Weltall danken wir
dem U.S. Information Service, Bonn.
Printed in China
www.coppenrath.de

ABENTEUERLICHE BRIEFE VON FELIX...

**Ein kleiner Hase erforscht
unseren blauen Planeten**

Eine Geschichte von Annette Langen

Mit Bildern von Constanza Droop

COPPENRATH

Ohne den neuen Geheimplan von Sophie und Felix wäre das alles nicht passiert!

„Wenn ich einen richtigen Ballon hätte", flüsterte Sophie aufgeregt, „dann würde ich in der großen Pause vom Schulhof aufsteigen und vielleicht sogar von oben herunterspucken!"

Felix verstand sofort, dass das eine Sensation wäre, und nickte begeistert mit den Ohren. Sophie bohrte in der Nase, so sehr musste sie nachdenken: Woher könnte sie so viel Stoff bekommen? Wie würde der Ballon abheben? Da sah sie die beiden roten Herzballons über den Stuhllehnen schweben. Eigentlich hatte Sophie die von ihrem Taschengeld zum Hochzeitstag von Mama und Papa gekauft – aber sie würde die Luftballons ja nur kurz ausleihen. „Felix, zuerst baue ich einen Ballon für dich", wisperte Sophie und verschwand im Keller.

Dann rumorte es in der Küche, schließlich
knarrte die Terrassentür und heraus kam
Sophie. Zwei rote Herzballons schwebten
links und rechts
über dem Bröt-
chenkorb. Darin
saß Felix, hielt
eine Minikamera
und seinen Ruck-
sack, und damit
er sich nicht erkäl-
tete, trug er einen
blau gestreiften
Schal.
„Du brauchst keine
Angst zu haben", sagte
Sophie und zeigte auf die
Drachenschnur. „Das ist ein vier-
facher Knoten und ich halte die
Schnur ganz fest!"
Felix nickte.
Sophie flüsterte: „Pass gut auf dich auf!",
und drückte ihre Nase in sein Fell.
Langsam stiegen die roten Herzen auf.

Erst schwebten sie bis zum Fenster vom Kinderzimmer, dann bis zum Schornstein. „Viel Spaß, Felix!", rief Sophie. Höher und höher stiegen die Ballons. Ob Felix in dieser Höhe wohl schwindelig wird?, dachte Sophie besorgt und wollte die Schnur aufrollen. Doch was war das? Pling – machte es, Sophie blickte auf die Spule, aber da war es schon zu spät.

Das Ende der Drachenschnur sauste davon.

Die roten Herzen trugen ihren Felix vorbei am Apfelbaum und weiter zum Kirchturm …

„Hilfe, Hilfe!", schrie Sophie, so laut sie konnte. Die Haustür flog auf. „Sophie, was ist passiert?", rief Papa. „Felix ist weggeflogen", schluchzte Sophie, „und das ist alles nur meine Schuld!" – „Weggeflogen?", fragte Papa und guckte ungläubig. „Jaaaah", stammelte Sophie und zeigte auf den Kirchturm. „Schnell, wir fahren ihm nach!", rief Papa, rannte zu den Fahrrädern – und vergaß ganz, dass er immer noch seine Pantoffeln trug.

Doch obwohl die beiden umherfuhren, den Himmel absuchten und Spaziergänger befragten, gab es keine Spur von den roten Herzballons und dem kleinen Hasen. Als die Dunkelheit hereinbrach, kamen eine verfrorene, verzweifelte Sophie und ein ratloser Papa – ohne Felix – nach Hause.

Als Sophie am Montag früh aufwacht, ist etwas ganz anders als sonst. Denn Felix liegt nicht neben ihr im Bett – im Nu fällt ihr alles wieder ein. Was ist, wenn Felix abgestürzt ist? Vielleicht liegt er irgendwo verletzt und kann sich nicht mehr bewegen? Sophie schluckt, denn bei dem Gedanken wird ihr angst und bange. Aber wenn man bedenkt, dass Felix schon viele abenteuerliche Reisen bestanden hat – vielleicht ist er inzwischen sogar schon ...?

Im Bademantel rennt Sophie die Treppe hinunter und reißt die Haustür auf. Aber da liegt nur die Zeitung auf der Fußmatte und von ihrem Kuschelhasen gibt es nicht die geringste Spur. Was steht da in dicken Buchstaben?
Sophie runzelt die Stirn
und beginnt zu lesen.

4   Montag, 29. Januar 1996   € 0,80

UFO über Münster gesichtet!

Am Sonntagnachmittag wurde von verschiedenen Bürgern ein unbekanntes Flugobjekt beobachtet. Unser Reporter sprach mit Marc W., der blitzschnell seine Kamera zückte und dem wir diese Aufnahme des UFOs verdanken:

„Das UFO tauchte plötzlich am Kirchturm auf. Erst sah es so aus, als würde es den Zeiger der Kirchturmuhr rammen, doch dann schwenkte es ab."

Auch die anderen Zeugen konnten sich nicht erinnern einen Raketenantrieb gesehen zu haben. Durch die einbrechende Dunkelheit wurde am Sonntagnachmittag leider die Sicht stark behindert.

Aber alle Zeugenaussagen stimmen darin überein, dass dieses UFO ganz anders aussah als alle, die zuvor gesichtet wurden. Der achtjährige Benedikt schilderte sogar: „Es sah wunderschön aus, fast wie rote Herzen!" Seine kleine Schwester, die sechsjährige Luisa, meinte, einen Außerirdischen gesehen zu haben, der unter den Herzen saß.

Diesen Aussagen widersprach der international bekannte Weltraumwissenschaftler Prof. Dr. Sputnik entschieden. Er sagte: „Ganz und gar unmöglich, alle Studien belegen, dass UFOs silbern sind, um Strahlen aus dem All abzuweisen. Ich gehe davon aus, dass es sich um intelligentes Leben aus dem Weltraum handelt, das mit uns Kontakt aufnehmen will."

Höhe
statt
Höhe
digun
her w
radfa
nach
schul
auf e
schin
Die T
die Z
ratur
einen
liege
schie

„Vo
Jahr
Der
die M
der
Jahre
der
will
schu
Deut
die
des
unse
Land
aufm
chen
steht
als
der r

Elefantendame Maja rasiert Zuschauer

Sein Winterquartier hat der Zirkus Renz in Münster aufgeschlagen und bietet eine abwechslungsreiche Vorstellung. Raubtier-, Akrobatik- und Clownnummer erfreuen sich großer Beliebtheit. Den krönenden Abschluss bietet die Suche nach einem Freiwilligen aus dem Publikum, der sich von der 18-jährigen Maja rasieren lassen will. Großes Gelächter herrscht, wenn sich diese dann als stolze Elefantendame entpuppt.

Gekonnt geht der freundliche Dickhäuter ans Werk, rührt Seifenschaum, rasiert den Mann sorgfältig und liefert ihm anschließend eine kostenlose Dusche.

Alle Schulkinder aus Münster aufgerufen zu großen Schneefiguren-Wettbewerb

Wie schon in der letzten Woche kann es auch in den nächsten Tagen wieder aufgrund des Glatteises für zahlreiche Schüler und Schülerinnen einen willkommenen Anlass zur Freude geben: Denn bei ungewissen Straßensituationen darf von Seiten des Kultusministeriums schulfrei erteilt werden!

Solltet ihr zu den Glücklichen gehören, die bei diesem Winterwetter schulfrei haben und draußen herumtoben können, dann macht doch mit beim großen **Schneefiguren-Wettbewerb**.

Keine Sorge: Eure Eltern und Großeltern, Onkel und Tanten, Geschwister und Freunde – egal ob Groß oder Klein –, alle Bewohner Münsters dürfen mitmachen.

Jeder, der lustige, kleine oder große Fantasiefiguren aus Schnee auf den Aasee-Wiesen baut, nimmt an der großen Preisverleihung am kommenden Wochenende teil.

Ein eisiger Tipp erreicht aus Kanada: In der Stadt Québec findet jedes Jahr im bruar eine große „Schneerade" statt. Hier ein Foto Kanada, das zeigt, was -20 °C alles möglich ist!

Nun heißt es: Auf in Schnee, fertig, los! Der Sta anzeiger schickt einen wa eingepackten Reporter auf Aasee-Wiesen, der unsere serschaft auf dem Laufend halten wird.

Die Preisverleihung fin am kommenden Samstag 15.00 Uhr statt. Es gibt e dreiköpfige Jury, Live-Mu warmen Früchtetee gratis u 10 tolle Preise für die glü lichen Gewinner.

Sophie kann es kaum glauben! Das ist nie und nimmer ein UFO gewesen – das war doch ihr Felix in seinem Ballon. Dann holt sie tief Luft und brüllt: „Schnell, seht euch das an!" – „Was ist denn passiert?", fragt Mama aus dem Badezimmer. „Weißt du, wie spät es ist?", gähnt Julius verschlafen und blinzelt ohne seine Brille die Treppe hinunter. „Ist Felix wieder da?", ruft Lena und kommt mit ihrem Teddy auf dem Arm aus der Küche. „Nun sag's schon endlich!", ruft Nicolas und rutscht das Treppengeländer hinunter. Sophie schwenkt die Zeitung wie eine Fahne. Papa rückt seine Brille zurecht, räuspert sich und liest den Zeitungsartikel laut vor.

Die sechs sehen sich fragend an. In diesem Moment klingelt das Telefon. Es ist Oma, auch sie hat soeben den Artikel in der Zeitung gelesen. „Nun, es sieht fast so aus, als ob dein Felix zu neuen Abenteuern aufgebrochen ist", sagt Oma. Sophie nickt stumm. Sie weiß nicht, ob sie sich darüber freuen soll. Schließlich ist Felix ihr allerliebster Kuschelhase und sie vermisst ihn schon jetzt ganz furchtbar. Denn Sophie und Felix kennen sich schon ewig. Um genau zu sein, seit sie gemeinsam in der Babywiege gelegen haben. Felix beschwert sich nie, wenn Sophie ihre Zaubersprüche an ihm ausprobiert, und Sophie würde niemals verraten, dass Felix manchmal Möhren aus der Küche mopst. Die beiden verstehen sich einfach immer. Leider ist Felix sehr reiselustig! Er ist schon zweimal verschwunden und wenig später kamen dann seine Briefe aus aller Welt für Sophie an. Aber zum Glück kehrte er jedes Mal wieder nach Hause zurück.

Als Sophie am Mittwoch aus der Schule kommt, ruft der Briefträger: „Du bist doch die Sophie – oder?" Sophie nickt aufgeregt und er sagt: „Also, da ist Post für dich angekommen und …!" Den Rest hört Sophie nicht mehr, so schnell rennt sie nach Hause.

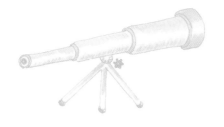

環球＿德版＿信封 1

Sophie atmet erleichtert auf: Ihrem Felix geht
es gut und er hat sich nicht verletzt. Aber was
ist nur ein Planetarium? Ob das etwas mit
Planeten zu tun hat? Vielleicht hat Julius davon
schon mal gehört?, denkt Sophie und stapft mit
dem Brief in der Hand in sein Zimmer.
„Klar kenn ich das", sagt ihr großer Bruder wichtig
und macht eine Pause. „Nun sag's schon", drängelt
Sophie und wedelt mit dem Brief vor seiner Nase hin
und her. Julius lässt
sich bitten, dann
endlich verrät
er, dass ein
Planetarium
so eine Art
3-D-Himmelskino ist, in dem Kome-
ten, Sterne und Asteroiden auf einer
Kuppel sichtbar gemacht werden!
Das klingt sehr spannend, findet
Sophie.

Planetarium

Das „riesige Frühstücksei", von dem Felix geschrieben hat, ist in Wirklichkeit die Kuppel und so eine gibt es auch in Münster. „Warum sagst du das nicht gleich?", ruft Sophie aufgeregt. Sogar Julius versteht, dass Sophie unverzüglich dorthin muss. Die beiden steigen in den Bus und zehn Minuten später durchsucht Sophie alle Winkel und Ecken im Planetarium. Plötzlich entdeckt sie einen blau gestreiften Schal. „Der ist von Felix", flüstert sie und drückt den Schal fest an sich. Aufgeregt rennt Julius auf sie zu. „Stell dir vor!", ruft er. „Hier ist gestern Nacht ohne jede Spur ein Ausstellungsstück verschwunden – eine Mondrakete!" Sophie guckt ungläubig. Plötzlich hat sie einen Verdacht – aber so etwas kann doch gar nicht sein … oder?

Als Sophie in der Karnevalszeit aus der Schule nach Hause kommt, liegt da auf der Kommode ein Briefumschlag für sie. Und darauf steht in Felix' Krakelschrift:

Komet

77

Sophie blickt von dem Brief auf und murmelt: „Ich wäre sicher auch ohnmächtig geworden!" Schließlich saust so eine Rakete mit 40.000 Stundenkilometern durch die Luft! Das weiß Sophie ganz genau, denn das hat sie in Nicolas' Weltraumbuch gelesen. Lange schaut sie das Foto an, das Felix aus seiner Mondrakete geknipst hat. Wie klein die große Erde doch aussieht, inmitten von all dem dunklen Weltraum. Wir müssen unseren blauen Planeten gut beschützen, denkt Sophie, denn so etwas Schönes gibt es im Weltall bestimmt nicht noch einmal!

...ese Gedanken hinein ruft Mama: „Habt ihr euch denn schon eure Kostüme für ...rneval ausgedacht?" Als Sophies Geschwister den Weltraumbrief von Felix lesen ...ürfen, steht fest, dass beim Karnevalszug ein Astronaut, ein kleines Marsmännchen und eine lebende Mondrakete Bonbons fangen werden. Nur Julius brummt: „Das ist doch Kinderkram!", und verschwindet kopfschüttelnd nach oben. Mama findet im Keller Stoffreste und Pappe, Nicolas sucht sein Weltraumbuch und Sophie ihre Filzstifte heraus. Zur Stärkung holt Lena Kekse und Gummibärchen aus dem Küchenschrank und dann beginnt das große Basteln. Als Papa abends nach Hause kommt, meint er, direkt in einer Weltraumstation gelandet zu sein!

Als an einem Freitag endlos viele dicke Schneeflocken fallen und Sophie unter einer weißen Schneeschicht zu Hause ankommt, liegt auf der Kommode ein neuer Brief von Felix. Ihre Schultasche fliegt auf den Fußboden und aufgeregt beginnt Sophie zu lesen.

Verträumt blickt sie von dem Brief auf. Draußen schneit es noch immer. Wenn Sophie die Augen ein bisschen zusammenkneift, sieht es fast so aus, als ob sie bei Felix am Nordpol wäre. Allerdings ist Sophie ganz froh, dass im Garten keine Eisbären wohnen.

Die Robben wären ihr da schon viel lieber. Erst gestern hat Papa erzählt, dass die Menschen wieder Jagd auf die kleinen Robben machen, weil sie die weißen Felle verkaufen wollen. Hier wären die Robbenbabys sicher, denkt Sophie, niemand dürfte ihnen etwas tun – sonst bekäme er es mit mir zu tun!

Später erklärt Mama, warum Felix gar keine Pinguine gesehen hat – denn die leben genau am anderen Ende der Welt, am Südpol.

Es schneit noch immer. Sophie ruft ihre Freundin Johanna an, denn sie hat eine tolle Idee!

Walross

Sattelrobben

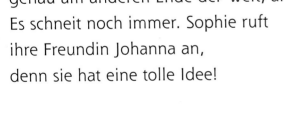

Wenig später schellt es und eine dick vermummte Johanna steht vor der Tür. Sophie zieht eilig ihren Anorak, die warmen Schneestiefel und Handschuhe an. Tuschelnd verschwinden die beiden im Garten. Nach einer Weile huscht auch Nicolas nach draußen und wenig später helfen Papa, Mama und Lena mit. Als es dunkel wird und immer noch Tausende von Schneeflocken herabschweben, ist das Iglu fertig. Es ist so groß, dass alle drinnen bequem Platz haben. Julius holt Teelichter aus dem Haus. Flackernde Schatten tanzen nun an den weißen Wänden. Papa kocht einen Früchtepunsch und serviert ihn den Iglubewohnern. Dann ist es Schlafenszeit. Johanna darf vor Sophies Bett auf der blauen Luftmatratze übernachten. Als Lena schon tief und fest schläft, hört man die beiden noch flüstern und kichern.

Kurz vor den Osterferien kommt ein neuer Brief für Sophie an. Sophie steckt den Briefumschlag in die Hosentasche und klettert in ihre Baumbude. Hoch oben im alten Apfelbaum beginnt sie zu lesen.

Diesen Brief liest Sophie gleich dreimal, dann lehnt sie sich an den Baumstamm und schließt die Augen. Schließlich will sie sich die Palmeninsel mit den Kokosnüssen, die Wale und die Unterwasserwelt ganz genau vorstellen. Dann plötzlich knarrt die Verandatür und Mama ruft: „Sophie, schau mal, wer hier ist!" Neben Mama steht Tante Edda. Sophies Herz macht einen Freudenhopser. Blitzschnell klettert sie die Strickleiter hinunter und stürzt in die Arme ihrer Tante. Drinnen deckt Mama den Tisch. In der Küche rührt Sophie ganz alleine den Waffelteig an. Tante Edda ist schwer beeindruckt, wie gut Sophie das kann.

Blauwal

Delfin

Korallenfische

Wie immer darf Lena den Teig probieren.
Während der Waffelduft durch den Flur zieht,
ruft Julius bei Oma an. Die soll schließlich
auch dabei sein, wenn Tante Edda von ihren
Reisen erzählt. Kurz darauf steht Oma in der
Tür, umarmt Tante Edda, danach sind die
Enkelkinder dran und dann kommt wieder Tante
Edda an die Reihe. Endlich – Sophie knurrt schon der Magen – gibt es für alle Waf-
feln mit heißen Kirschen und Schlagsahne!

Am letzten Schultag vor den Osterferien nimmt
Sophie die bunte Fähnchenkarte von Felix
mit in die Schule.

Sophies Lieblingslehrerin hat sofort
eine tolle Idee. Sie malt die Flagge
für den Buchstaben „S" an die Ta-
fel. „Seht ihr, das ist meine Flagge, denn ich heiße Silke", sagt
sie. „Schön, dann ist das auch
meine Flagge", flüstert
Sophie ihrer Freundin
Johanna zu. Aber die hört
und sieht nichts und malt
schon ihre „J"-Flagge.

Die Osterferien vergehen viel zu schnell und die Schule beginnt wieder. Jeden Tag hofft Sophie so sehr auf einen Brief von Felix. Aber vergeblich! Dann endlich – einen Tag vor ihrem Geburtstag – liegt auf der Kommode ein Umschlag, darauf steht:

NUR FÜR
♡ SOPHIE ♡
MARTINISTR. 19
48143 MÜNSTER
EUROPA

環球＿德版＿信封 5

Hhm, denkt Sophie, muss schon toll sein, da im tiefsten Regenwald. Aber ob Felix mit den bemoosten Faultieren nicht geflunkert hat? Das will sie jetzt genauer wissen. Sie läuft ins Wohnzimmer und zieht aus dem Bücherregal das dicke Lexikon heraus. Das ist vielleicht schwer! Da steht's, schwarz auf weiß! Unter dem Buchstaben „F", direkt unter Faulschlamm: „Faultier, gehört zur Familie der Säugetiere, lebt in den Wäldern Süd- und Mittelamerikas, Körperlänge 50-65 cm, Schwanz sehr kurz oder fehlend, Kopf rundlich, bei manchen Arten bis zu 180° drehbar, Zehen und Finger mit langen Greifkrallen. Fell braun, meist mit Blaualgen besiedelt, dadurch vor Feinden sehr gut getarnt."
So ist das also!
Sophie ist sehr zufrieden.

Als Mama und Papa zum Gute-Nacht-Sagen hereinkommen, hat Sophie große Sorgen. „Keine Angst, dein reiselustiger Felix wird schon heil zurückkommen!", sagt Papa und gibt ihr einen dicken Kuss. „Das ist es doch gar nicht, Papa!", ruft Sophie. „Was soll nur aus den Faultieren und den Fröschen werden?"

„Wie meinst du denn das, mein Schatz?", fragt Mama und streicht ihr über die Haare.

Da holt Sophie tief Luft und erzählt, dass doch die Regenwälder immer mehr abgeholzt werden. Wo, bitteschön, sollen da alle Tiere bleiben? Mama sieht Papa an. Das macht sie immer, wenn sie nicht weiß, was sie sagen soll. „Ich hab's!", ruft Sophie plötzlich. „Ich schlage das Thema Regenwald für unsere Schulprojektwoche vor! Dann können alle Schüler einen Protestbrief unterschreiben." Am liebsten würde Sophie den sofort schreiben, aber Papa sagt, dass kleine Umweltschützer besonders viel Schlaf brauchen, und das stimmt ja auch wirklich.

Es wird Sommer und das Freibad öffnet wieder. Als es so warm ist, dass Sophie end-lich ihr neues T-Shirt und die bunte kurze Hose zur Schule anziehen kann, kommt ein neuer Brief von Felix an. Sophie kann den Briefumschlag gar nicht schnell genug öffnen.

Inside the image: handwritten address:

AN DIE
WELTBESTE SOPHIE
MARTINISTR. 19
48143 MÜNSTER
GERMANY

Sophie ist furchtbar aufgeregt. Felix wird nach Hause kommen! Vielleicht sitzt er jetzt schon über den Wolken, in so einem großen Flugzeug mit zwei Etagen und einer Wendeltreppe? Ob Mama weiß, wie lange ein Jumbo-Jet von Australien nach Deutschland braucht? Sophie rennt in den Garten hinaus. Dort pflückt Mama Erdbeeren. „Nun, an die 20 Stunden dauert so ein Flug schon", sagt Mama und pflückt eine besonders dicke rote Erdbeere für Sophie ab. „So lange?!", fragt Sophie mit vollem Mund. „Dann habe ich ja noch genug Zeit, um die gelbe Babybadewanne für Felix aus dem Keller zu holen!" Mama lacht und meint, dass Sophie sogar noch ein Willkommensschild für ihren Felix malen kann. Denn wenn Felix im Frankfurter Flughafen landet, muss er noch vier ganze Stunden mit dem Zug nach Münster fahren.

Als Papa nach Hause kommt, hat Sophie 14-mal aus dem Fenster geschaut. Doch von einem kleinen dreckigen Hasen mit einem Rucksack gibt es immer noch keine Spur.

Ayers Rock

Beim Abendessen schafft Sophie nur ein halbes Brötchen und verschüttet ihren Tee, so aufgeregt ist sie. „Was hältst du davon", fragt Papa nach dem Abendessen, „wenn wir zwei zum Bahnhof fahren und gucken, ob da nicht ein Zug aus Frankfurt ankommt?" Sophie nickt, umarmt Papa und zerrt ihn sofort zur Haustür.

Wenig später stehen die beiden im Bahnhof vor einem Computerbildschirm. Dass es aber auch so viele Züge, Nummern und Gleise geben muss!

Papa und Sophie suchen noch, da klingelt ein Glöckchen neben ihnen und etwas zupft an Sophies Jacke. „Felix!", schreit Sophie. „Oh, mein allerliebster Felix!" Und schon umarmt sie ihren reiselustigen Kuschelhasen. „Ach, wie habe ich dich vermisst", flüstert Sophie und blickt ihn immer wieder an. Felix sieht dreckig, aber sehr zufrieden aus. Unter seinem Arm hält er ein Geschenk.